愿望售卖机

体育高手腕带

〔日〕山口道◎著   〔日〕高井喜和◎绘   辛 悦◎译

北京科学技术出版社
100层童书馆

　　小朋友，你听说过能帮人实现愿望的自动售卖机吗？

　　它能像火箭一样飞来飞去，卖的都是能帮人实现愿望的神奇商品，比如高空气球泡泡糖、飞踢长靴、

动听歌声果汁糖、语文畅写铅笔、午休延长券……

商品应有尽有。

你的愿望是什么呢？

想在棒球比赛中不断打出本垒打，狠狠地出一回风头？

希望自己变得更幸运？

不想去学校，想变成流浪猫，自由自在地玩耍？

"放心交给本店吧。能帮你实现愿望的火箭商店，现在开始营业！"

目录

本垒打腕带

棒球场上的对决！

洁白的云朵在探头探脑地张望什么呢？

原来，在梦之丘公园的第二棒球场上，小小钻石队和巨人考拉队的比赛正在如火如荼地进行。

目前，场上的比分是三比二，巨人考拉队暂时领先。

最后一局，小小钻石队开始了最后的反击。

队长真也打出了漂亮的一击。随后，晃一也因对手失误而被送上一垒。这样，场上小小钻石队的两

位队员就占据了一垒和二垒。如果他们中有一个人跑回本垒[1]，那么两队平局；如果两人都跑回本垒，小小钻石队就会反超。

太好了！小小钻石队的队员们兴奋不已。

和树不由得紧张起来。

第六棒的翔太因为失误出局。不过，他虽然出

1　棒球比赛中，当击球员击出球后，他的身份就从击球员变为跑垒员。跑垒员从本垒出发，依次跑过一垒、二垒、三垒，最后回到本垒，即可获得一分。——编者注

局了，但场上的两位跑垒员成功到达二垒和三垒。只要接下来的击球员能打出安打[1]，小小钻石队就有可能追平比分。如果发挥得更好，小小钻石队甚至可能在最后一局逆风翻盘，取得胜利！

这个时候如果能超常发挥，就能成为球队的大英雄！

聚集在球场边的观众的呐喊声越来越大。

"小小钻石队加油！"

今天已经击中两球的第七棒击球手正彦进入击球区。下一个就轮到第八棒的和树了。

和树在心里默默祈祷起来。

只听梆的一声，球被正彦击中，高速飞了出去。大家刚要欢呼，却发现球朝着对方的游击手径直飞去，被接了个正着。

1　安打：棒球术语，指击球员把投手投来的球击到界内，使击球本身至少安全上到一垒的情形。——编者注

刚准备跑垒的两位跑垒员霎时间动弹不得，最终正彦出局。

"哎呀，可惜了。"

相比周围人的惋惜，和树则在心中重重地叹了一口气。

他看向教练，教练冲他点了点头，示意他加油。

四年级的和树是球队里年纪最小的队员。他穿着肥肥大大的队服，有些吃力地扛着球棒走进击球区。和树上场后，巨人考拉队的大个子主力就一直盯着他。

和树紧张地咽了咽口水。这时，从三垒传来了队长真也热情鼓励的话语：

"和树，放手去打吧！你肯定能击中！"

真也脸上挂着灿烂的笑容，对着和树竖起大拇指，给他加油鼓劲。和树冲他点了点头。

来吧，拿起球棒用力一挥！要是侥幸击中了，就有可能逆风翻盘，如果美梦成真……

对方投手带着凶狠的表情投出了球，和树则用尽全力挥动球棒——

嗖！嗖！嗖！

白云要是有手，肯定也会捂脸叹息。

击球员和树，三振出局[1]！

"最终比分三比二，巨人考拉队获胜！"

裁判宣告比赛结束的喊声回荡在夏日晴空下。

其他队员都回家了，只有和树一个人缩在公园的长椅上，望着空荡荡的球场出神。

1　三振出局：棒球术语，指击球员三击不中而出局。——编者注

大家当然都没有去责怪一个四年级的小弟弟，但失望还是写在他们的脸上。

"你尽力了就好，下次一定能击中。"

队长笑着安慰和树。

听了队长的话，和树更难过了。

三振出局！我错失了来之不易的机会，导致球队输了比赛。不仅如此，坐在选手席上等待上场的时候，我还曾暗暗祈祷别让自己上场，那样的自己可真没出息。比起球队的胜利，我竟更在乎自己的脸面……

为了不让眼泪流下来，和树仰起头，望着远方的天空。天上的云朵洁白如雪。

哪怕只有一次也好，我好想像队长那样打出一记本垒打[1]啊。打出普通的安打后，击球员得奋力跑向垒位。但是，打出本垒打可不一样，击球员完全可

1　本垒打：棒球术语，指击球员将对方来球击出后（通常击出外野围栏），依次跑过一垒、二垒、三垒并安全回到本垒的进攻方法。——编者注

以慢悠悠地依次跑过一垒、二垒、三垒，回到本垒，享受大家的欢呼声和喝彩声……那模样，多帅气啊！

白色棒球嗒的一声直直飞出，越飞越高，越飞越远，径直飞进云层里去了……

一记漂亮的本垒打！

和树陶醉在自己的想象中，耳边仿佛响起了观众的欢呼声。就在这时，他一直望着的那片云朵突然发出耀眼的金色光芒。有什么东西像飞回的棒球一般，直直地朝他飞了过来。

那是什么东西啊？肯定不是飞机。难……难道是……导弹？！

和树慌忙拿起头盔，准备戴上，不料手一滑，头盔掉到地上，骨碌碌地滚远了。和树赶紧去追。不料那个不明飞行物飞到和树身旁后，猛地停住了，然后开始缓缓下降。

啊！好吓人！这到底是什么东西？

和树赶紧跑到长椅后面藏了起来。不明飞行物落到球场的围栏边，咚的一声着陆了。

和树害怕得闭上了眼睛，心狂跳不止——幸好，那个不明飞行物没有像导弹一样砰地爆炸。和树松了一口气，赶紧睁开眼。

眼前的这个胖墩墩的东西是一枚小火箭？

和树有点儿摸不着头脑，紧张地盯着它不敢动弹。这时，"小火箭"那两只像眼睛一样的蓝色圆灯突然亮了，紧接着播放起了腔调十分奇怪的歌曲：

噼噼啪啪，噗噜噗噜，嗒啦嗒啦，轰轰轰——

之后，又传出了叫卖声：

"欢迎光临！能帮你实现愿望的火箭商店，现在开始营业！"

商店？也就是说，这是台自动售卖机？

哇，从天而降的商店，好酷呀！

而且它卖的东西竟然是——

"来呀，热爱棒球的孩子，快来看看。别处买不到的梦幻产品，本店应有尽有。有了它们，成为球队的英雄不是梦！"

什么？！

刚才的悲伤心情瞬间被和树抛到九霄云外，他激动得从长椅后面跳出来，跑到自动售卖机前面站定。

自动售卖机的两扇小窗嗡的一声分别向左右打开，里面陈列着一些和树闻所未闻的商品：

悄悄盗垒徽章、梦幻三振腕带、千击千中饮料、迷你啦啦队、本垒打腕带、喝倒彩大喇叭、自动捡球机器狗。

"哇，这些东西我以前从没见过！"

"这些都是本店才有的特殊商品，而且它们都很便宜，一件只要五百元[1]。"

---
1 本书中的货币单位"元"均指日元。——编者注

看见和树一脸迷茫的样子，自动售卖机闪烁了几下它的蓝色圆灯，开始给他介绍商品。

"喝了千击千中饮料，就算魔鬼教练安排了一千遍击球练习，对你来说也不在话下，最后一定是累得半死的教练先喊停。"

想象着平日里总是大声咆哮的教练累得瘫倒在地，求饶说"我真的投不动了，放过我吧！"的场景，和树哈哈大笑起来。

和树兴致勃勃地向自动售卖机提各种问题。

"那这只喇叭是用来干什么的呢？"

"这个是用来对付那些喜欢嘲讽人的球队的。不论对方如何嘲讽，喝倒彩大喇叭都会十倍奉还，直到把对方嘲讽哭为止。"

好厉害啊，但是这样的话对手好像有点儿可怜。

"没什么人加油的球队，就需要这支迷你啦啦队了。

只要打开箱子，啦啦队队员们就会跳出来，一边跳舞，一边大声给球队加油。”

"哇，这个好棒，就像电视里的啦啦队一样。"

"在课堂上被老师点名提问的时候，或者吃不下午餐的时候，迷你啦啦队的队员们也会跳出来给你加油。"

"好丢人，谁需要这种加油啊！"和树说道。

自动售卖机赶紧给和树介绍下一款商品。

"这只自动捡球机器狗怎么样？不管球飞出多远，自动捡球机器狗都能飞快地把它捡回来。"

四年级的学生总被安排去捡球。

"就算是落到草丛里，自动捡球机器狗也能立马找到，并把球叼回来。"

"哇，好方便，好想要这个。"

"但是，请注意，自动捡球机器狗遇到猫后会和猫打架。"

和树看了看四周，流浪猫在悠闲地打着哈欠。公园里流浪猫太多了，自动捡球机器狗在这里根本没法使用。

"这件商品叫悄悄盗垒徽章。只要把它贴在鞋上，就能神不知鬼不觉地盗垒成功，变身盗垒王！"

从未盗垒成功的和树眼睛一亮。

不过……还是不行啊。如果不能先击中一球、跑上一垒的话，盗垒这事想都别想。

和树刚要叹气，就听到自动售卖机发出棒球比赛开局前示意队员做好准备的声音。

"接下来是今日极力推荐的商品！它就是——"

自动售卖机的声音一下子变得铿锵有力起来。

"梦幻三振腕带！"

那是只很漂亮的腕带，五彩缤纷的，就像彩虹一样。

"只要戴上这只腕带，你投出去的球对方的击球员绝对接不到。不论对手多强，你都能将他三振出局。"

哇！

这也太厉害了吧！

哎呀，但是我又不是投手。和树在心里惋惜。

"那么接下来要介绍的是今天的最后一款商品，它就是——"

梦幻三振腕带旁边放着另一款腕带。与梦幻三振腕带不同的是，这款腕带闪着金光。看着它，和树的眼睛也闪闪发光。

"本垒打腕带！"

和树心想，总算等到你了！我从一开始就盯上你了！

"只要戴上它，进入击球区，不管对面来的是什么球，你都能打出完美的本垒打。咚、咚、咚！想怎么打就怎么打！"

太好了！我想要的就是它！我就要这个。

自动售卖机的话音还没落，和树就已经将钱包里的五百元硬币当啷一声扔进去了。

"谢谢惠顾！能帮你实现愿望的火箭商店，期待你下次光临。"

和树不知道这台从天而降的售卖机说的话到底是真是假。不过，在和树的脑海里，本垒打已经一记接一记地上演，快速飞出去的棒球就像嘭嘭蹦起的爆米花一样。

和树嘿嘿傻笑的时候，公园里的流浪猫正静静注视着他。

事实上，还有一个人也悄悄在树荫下偷看和树，但和树对此毫无察觉。

一周之后，第二棒球场再次

被欢呼声包围。

　　小小钻石队是一支小球队，由四名六年级学生、四名五年级学生和三名四年级学生组成。和其他球队比赛的时候，五六年级的八人全部上场，四年级的三名队员则轮流上场。

　　今天，在对战笑眯眯海盗队的比赛中，四年级的佑介作为第八棒击球员上场。他长得有点儿胖，跑得也慢。所以即便好不容易击中了球，也很可能由于跑垒不成功而被淘汰出局。

　　教练经常对着他喊："别放弃，快跑啊，坚持到最后。"

　　这场比赛中，对方投手投出的球速度很快，小小钻石队的击球员很难击中。

　　直到第五局的时候，队长真也才好不容易击中了球，但也只勉强跑到了二垒。而对方的命中率很高，场上比分很快成了六比零。

这意味着，小小钻石队只剩最后一次进攻的机会了。

虽然教练大声喊着"要是拿零蛋回家，也太丢人了！"之类的话来刺激队员们，但第六棒的翔太打出界外球，第七棒的正彦被三振出局，小小钻石队一下子出局了两人。

"再出局一个！再出局一个！"

下一棒是四年级的佑介。从笑眯眯海盗队选手席传来的嘲笑声越来越大。

"搞定他！淘汰他！"

佑介看起来快要哭了。这些人真可恶！队长真也生气地瞪着他们。

又要输了吗？小小钻石队的队员们开始叹息。这时，一名小个子队员勇敢地站起来，语出惊人：

"请换我上场吧。我一定能打出一记本垒打。"

这个人正是四年级的和树。

教练和五六年级的学长们都惊讶得瞪大了眼睛。大家都在想，这小子在说什么呢？上次被三振出局，让大家失去最后胜利希望的人是谁，他都忘了吗？

这时队长真也站了起来。

"教练，我支持和树。"说完，他又转头对和树说，"和树，要加油啊！"

看到队长帮忙求情，教练只好不情不愿地点头同意了。

"小小钻石队请求换人。"

看到小小钻石队换下去了一个胖乎乎的孩子，换上来了一个个头小小的孩子，笑眯眯海盗队的投手哧哧地笑出了声。

瞧瞧他，那么小的脑袋上戴了一顶那么大的头盔，手腕上还戴着金色的腕带，真是嚣张……让我来给他个教训！笑眯眯海盗队的投手把球高举过头顶，然后用力投了出去。

当球呼地向和树飞来时，和树左手手腕上的腕带突然闪耀起金光。

砰！

随着一声让人心情愉悦的声音响起，洁白的棒球嗖地一下划过蓝天，轻巧地越过了球场远处的外野围栏。

一记货真价实的本垒打！

不论是队友还是对手，所有人都看呆了。

其中最惊讶的是和树本人。

"太棒了，和树！我说什么来着，只要放开手去打，一定能击中！"队长真也激动得从选手席上跳了起来。

"嗯！"和树冲他点点头，慢慢向一垒跑去。

回过神来后，小小钻石队的选手席上和围栏外的观众席上都响起了热烈的欢呼声和喝彩声。

小小钻石队最终只拿下一分，比赛以一比六输球告终。但是，小小钻石队的队员们都满脸笑容，仿佛胜利的是自己的球队一样。

"孩子他爸，和树今天又打出了本垒打，成了球队的大英雄！"小小钻石队赢了几场比赛后，妈妈这样说道。

"嘿嘿，我们球队迎来了五连胜。"和树补充道。

"是吗？曾经十连败的小小钻石队，如今是怎么回事啊？"

"谁知道呢？"

和树把腕带脱下来，套在手指上转着圈。

像小火箭一样从天而降的自动售卖机说的话，原来是真的。

只要戴上这只神奇的本垒打腕带，不管对方投来什么样的球，和树都能击中，而且肯定能打出一记本垒打。

今天对战红袋鼠队的时候，小小钻石队暂时落后，所以教练把和树换上场了。很快，和树就打出了一记本垒打！队员们重新振奋起精神，打击率也渐渐上去了，最后成功逆转局势，反败为胜。

啊，打棒球可真有趣！

爸爸满面笑容地对和树说：

"你才四年级就能连续打出本垒打，一定有过人的天赋。和树，立志成为一名职业棒球运动员吧。不不不，咱们志向再远大一点儿，立志跟美国职业棒球大联盟签约！"

这时候妈妈开始揭短了：

"但是和树防守完全不行啊。今天他傻举着双手，没能接住对方击出的高飞球。他慌慌张张去捡球，结果脚下一滑，摔了个大跟头。大家都笑话他呢。"

爸爸只好改口："和树啊，那签约的事咱还是放弃吧。"

哼，防守失误有什么关系，我用本垒打把比分追回来不就行了！和树心中不服气。

不管比分怎么落后，最后都能反败为胜！

因为和树每次都能打出本垒打，队员们都有了这样的信心，小小钻石队势头正好。

操场上训练的队员们几乎每个人都一脸信心十足的表情。

只有真也看起来一副不太开心的样子。六年级的真也是球队里的捕手和第四棒击球员，也是深受大家信赖的队长。

真也平时就像哥哥一样，非常照顾和树，一见到和树就笑着过来搭话。最近，不知怎的，真也却看都不看和树一眼。

　　这是怎么了？和树想不明白，于是跑去问同年级的佑介。

　　"我第一次打出本垒打的时候，真也哥哥别提有多开心了，但是最近他却完全变了样……"

　　佑介思考了一会儿说：

　　"真也哥哥以前一直是球队的英雄，现在被你抢了风头，所以不高兴了吧。"

　　真也哥哥才不会呢，和树在心里反驳道，却看到一旁的队友悠人赞同地点了点头。

　　"更别说你还只是个四年级的学弟，风头却盖过了他的。真也哥哥很少打出本垒打吧？"

　　"真是这样吗？"

和树觉得有些难过。

训练结束后，教练把队员们聚在一起开了个会。他干劲十足地动员大家："明天的对手黑美洲豹队是一等一的强敌，但我们小小钻石队绝不能认输！小小钻石队必胜！"

队员们一起铿锵有力地回应道："小小钻石队必胜！"

教练接着说道："我决定调整一下先发阵容和上场顺序。和树，明天你来负责第五棒，没问题吧？"

第五棒，也就是在真也之后出场。和树紧张得咽了咽口水，正要冲教练点头——

"我反对。"

说话的是真也。

"对手的进攻很强，所以我方的防守很关键。我担心过于依赖和树的本垒打行不通。"

教练露出不悦的神色，说：

"听说黑美洲豹队的投手很厉害，是让对手三振出局的纪录保持者。不管多强的队，遇上他都可能得零分。而棒球这种运动，无论防守多么完美，得不到分就赢不了。所以我们队的战术就是，至少靠和树的本垒打先得一分。"

听到这里，真也沉默了。

真也哥哥果然讨厌我了……

想到这里，和树简直无法再多忍一秒。一解散他就飞跑着找到真也，鼓起勇气道出心里的疑问。

"真也哥哥，我打出本垒打让球队赢球，你难道不高兴吗？"

真也沉默了一会儿，摇了摇头。

"一开始，我简直高兴得要命。但是最近……我开始觉得，这样不好。"

听了这话，和树十分惊讶。

"哪里不好？"

"你个子小，又老爱摔跤。但以前不管是防守还是跑垒，你都全力以赴，所以我很喜欢那样的你。可是，现在好像有什么东西变了。"

终于，真也又露出了那种很有队长风范的笑容。

"虽然棒球是不得分就赢不了的运动……但是我

觉得击球成功，队员们离开垒位拼命跑垒，最后费尽九牛二虎之力跑回本垒，这样大家一起努力得来的一分，比起本垒打得来的那一分，更值得高兴。好啦，明天见。"

真也离开之后，和树看了看自己的左手。他手腕上戴着的本垒打腕带微微闪着金光，和树盯着它看了很久。

梦之丘公园里有两个棒球场。第一棒球场设有观众席，还有高高的照明灯和巨大的计分板，非常气派，因此是和树他们梦寐以求的赛场。

相对来说小一些的第二棒球场因为观众席上没有座位，观众们只能站着看球，所以平时观众较少。

但是今时不同往日，第二棒球场边聚集了很多观众，声势之浩大比起第一棒球场毫不逊色。

因为这场比赛是最近势头很猛的两支连胜球队之间的较量。

小小钻石队的队员们集合的时候，和树一脸阳光地和队长真也碰了碰拳。看到这一幕，四年级的佑介和悠人惊讶不已。

他俩这是和好了？而且……

"和树，最近总见你戴的那只腕带今天怎么没戴？"佑介问道。

"嗯。就算没有它，我也会全力以赴。"

"加油！"

太好了！四年级的队员们原本还在替他俩担心，现在看见他俩和好了，都很开心。

原来，昨天真也走后，和树飞奔过去追上他，把从自动售卖机那里买到本垒打腕带的秘密对真也和盘托出。说完之后，和树把金色腕带摘下来交给真也保管，并向真也保证，再也不在比赛的时候戴它了。

围栏周围聚集着许多观众，在他们响亮的加油声中，小小钻石队与黑美洲豹队的比赛正式拉开序幕。

这场比赛由小小钻石队率先进攻。

场上的队员们看到黑美洲豹队的投手后，不禁露出些许意外之色。

只见投手丘上站着一个戴眼镜的瘦弱男生，他投球的姿势笨拙不说，投出的球速度也很慢。瞧他这模样，莫非是个深藏不露的高手？

最后，大家一致得出结论，他就是个打酱油的，真正的主力肯定之后才上场。所以现在正是得分的好机会！

棒球划着弧线飞来，小小钻石队的击球员信心

满满地将球棒猛挥了过去。

奇怪！

球棒碰不着球。不管他怎么挥，球棒都碰不着球。当击球员回过神来的时候，球已经被捕手稳稳地接住了。

先发击球员第一棒秋成、第二棒大河、第三棒礼司，全部被三振出局，小小钻石队一下子出局了三人！下场后三人被教练狠狠地训了一顿，大家都一副垂头丧气的样子。

"没关系！接下来大家都仔细点儿！"

听了队长的话，大家重新打起精神。接下来轮到小小钻石队防守了。

和树努力跑到了守备位置。

小小钻石队的主力是六年级的航大。他个子最高，控球能力很强，和捕手真也配合得天衣无缝。

他们成功顶住了黑美洲豹队的进攻，比赛第一局结束。

第二局上半局，小小钻石队的击球顺序从第四棒真也开始。

真也行事细致，等球靠近以后才瞄准球用力挥起球棒。

然而，他也扑了个空！

接下来，他更加谨慎地把握时机……结果都是徒劳，最后他也被三振出局。

真也回到选手席，满脸不解。

接下来，第五棒击球员和树走进击球区。

"和树加油！"

"交给你了，来一记本垒打！"

队友的呼声和观众的呼声交织在一起，人们对这个连续打出本垒打的天才选手的期待越发强烈。

对方投手嗖地一下，投出了一个慢悠悠的球。和树迎着球的方向挥起了球棒，球棒划过空气，呼——所有人都以为这会是一记本垒打。

然而，大家接下来听到的不是球被击中的声音，而是啪的一声——球被捕手接住了。

下一球也扑空了……再下一球也一样。

最终和树也被三振出局。见状，黑美洲豹队的选手席传来响亮的鼓掌声和叫好声。

"干得好，眼镜兄！"

被称作眼镜兄的投手推了推眼镜，样子十分得意。这时候，和树才注意到，眼镜兄右手的腕带闪烁着彩虹般的光芒。

那不是自动售卖机里的那款梦幻三振腕带吗？

和树下场之后，立马找到真也，把刚才的发现告诉了他。

"据说，谁只要戴着那款腕带，对手就绝对接不到他投出的球。"

"原来是这样！可恶！我就说，那种有气无力的球我怎么可能接不到！"

但是，接下来该怎么办呢？和树和真也都不知所措。

比赛还在继续。

对方势头不减，但是小小钻石队

这边也在拼命防守，所以五局的交锋以零比零的比分结束了。

先发击球员真也想了个法子——这次不用力挥球棒，而是轻轻用球棒触球。然而依旧无济于事，球从停在那里等它的球棒旁边轻巧地滑过去溜走了。

战术失败。真也又一次被三振出局。

可恶！真也生气地抢起球棒砸向地面。他平时非常爱惜球棒，做出用球棒砸地这种愤怒的举动还是头一次。

下面轮到和树出场了。

他想做点儿什么扭转局面，但是也想不出什么办法。和树哭丧着脸，朝击球区走去时，正好和下场的真也擦肩而过。就在这时，真也从口袋里掏出一个东西，递给了和树。

"我们绝不能输给这种卑鄙的球队！接下来就看

你的了。"

和树摊开手掌一看，真也递过来的正是之前和树答应过绝不再在比赛中使用的本垒打腕带。

在小小钻石队的支持者们的殷切期盼中，个子小小的第五棒击球员缓缓走进击球区。只见他愤怒地瞪着投手丘上站着的对方投手，呼呼地挥了挥球棒，摆出接球的姿势。

那个瞬间，和树的手腕闪起了金光，眼镜兄的手腕则闪起了彩虹般的光芒。两只腕带拼命发着光，仿佛在怒视彼此。

接下来就是本垒打腕带和梦幻三振腕带之间的较量了！

原本一直笑嘻嘻的眼镜兄也变了脸色，高高举起了双手。

第一球！

球是从正面来的。和树瞄准球的方向，挥起了球棒。

球从球棒边擦了过去，被捕手接到了——这是对手投出的第一个好球。对小小钻石队而言，这虽然算不上什么好表现，但是在这场比赛中，这还是他们队的击球员头一次碰到球。

看到这种情况，两支球队的队员都大声为各自的队友加油鼓劲。眼镜兄的神色慌张起来。

第二球、第三球都偏得厉害，是坏球。眼镜兄紧张得直咬嘴唇，把黑色的帽子摘了又戴、戴了又摘。这时，他手上的腕带闪耀着炫目的彩光，仿佛在说我怎么可能输给你一般。而和树的手腕上也跃动着点点金光。看来两只腕带间的较量已经进入了白热化阶段。

第四球。眼镜兄投出了充满力量的一球，球直直地飞了过来。

来吧！早就瞄准的和树坚定地挥了一棒。

砰！

球高高地飞了出去。哇！小小钻石队的队员们不由自主地发出了惊叹声。但是球向右偏得厉害，成了界外球。惋惜声和加油声交织成阵阵声浪，原本情绪低迷的观众顿时沸腾起来。

这是对手投出的第二个好球！

下一球就定胜负了。和树到底会被三振出局，还是打出本垒打呢？

和树定了定神，把球棒直直地指向投手。眼镜兄点了点头，朝着击球区伸出右手。

和树手腕上的本垒打腕带迸发出烈焰般的炫目金光。眼镜兄手腕上的梦幻三振腕带上，耀眼的光像彩虹一般铺开。两束光在空中相遇，火花四溅地激烈碰撞在一起。

突然，两束光都消失了。两只腕带各自的神奇力量也一同消失了。

和树看了一眼手腕上不再闪耀的腕带，心想，接下来就是我俩真正的较量了。而眼镜兄却一脸无奈。

这时，和树听到选手席那边传来队长真也的呼喊声：

"和树，别输给他！带着我们队所有人的希望，用力挥棒吧！"

和树心里的不安顿时烟消云散。

"眼镜兄，对方只是个四年级的小子，打败他轻轻松松啦。"

从对方选手席传来的加油声也给了眼镜兄很大的鼓舞。

第五球！

肩负着全队人的殷切希望，和树朝着飞来的球用力一挥。

呼——球棒呼啸着被抡了一圈，球却朝球棒下方飞去。

完蛋，打空了。这下要被三振出局了！

和树还没来得及失望，就听见球棒顶端传来咚的一声，白色的棒球骨碌碌地向前滚去。

"击中了！和树，快跑垒！使劲儿跑！"

真也话音未落，和树已经飞快地跑了起来。

另一边，眼镜兄手忙脚乱，他想把球捡起来。但是球却像陀螺一样嗖嗖地打着转儿，眼镜兄迟迟抓不住它。

等他好不容易逮到球投出去，却没想因为心焦气躁而失误了。

黑美洲豹队刚才满心以为眼镜兄肯定可以把和树三振出局，现在却陷入了慌乱。黑美洲豹队还在发蒙的队员跑出去追球时，不小心绊了一跤，摔了个四脚朝天。

小小钻石队这边，大家都激动得跳了起来，挥动着手臂为和树呐喊加油。

"快跑啊，和树！快跑！"

这时和树已经跑过二垒，向三垒进发。对方的右外野手总算捡到了球，而和树已经成功上了三垒，开始向本垒冲刺。

观众席上响起了震耳欲聋的欢呼声和喝彩声。

右外野手将球全力投了出去。球呈一条直线，径直飞向本垒。

"和树快上垒！"

和树一头栽进了本垒，身上的队服从上到下都沾满了土。他这一扑，刚好比对方捕手接到球早那么一点点。

裁判做出手势——小小钻石队得分！

欢呼声如浪潮般席卷而来。

"场内本垒打！"

真也激动得跳了起来。他一边喊，一边向和树跑来。在他身后，其他队员也一起跑了过来。

和树仰起沾满土的脸，灿烂地笑了。手腕上的本垒打腕带也沾满了灰尘，脏兮兮的，不再发光了，但不知怎的，和树觉得它也很自豪。

它仿佛在骄傲地说——瞧，咱们这不是成功地完成了一记本垒打嘛。

搞出暴投的眼镜兄被换下场后，比分定格在一比零，和树所在的小小钻石队获得了来之不易的胜利。

赢球的队伍、输球的队伍，还有喧闹的观众都离开后，空无一人的棒球场安静了下来。在某个角落，被汗水和泪水打湿的彩虹色腕带静静地躺在地上。

天朗气清的秋日晴空下，梦之丘公园的第二棒球场上，棒球少年们的热血故事还在继续……

好事发生唇膏

让你的嘴角笑意盈盈

公园里，蝉声如沸。佳奈在树荫下的洗手池边哗哗地洗了几把脸。

呼——好舒服！

佳奈抬头看向镜子。她长得像妈妈，脸蛋普普通通，眼睛不大，不过也算得上可爱。再看鼻子，幸好，她没有像妈妈那样长个朝天鼻，但她的鼻梁并不挺，也就普普通通吧。她的嘴巴不太好看，下垂的嘴角让她看上去略带苦相。

佳奈不由得想到今天刚拿到手的这学期的成绩单。佳奈的成绩和她的长相一样，也只能用普普通通四个字来形容。

佳奈这学期在语文上下了一番功夫，所以语文成绩还不错。而她讨厌的科学，成绩自然非常糟糕。至于其他科目的成绩，只能说不好不坏，普普通通。

她从一年级开始就一直这么普通。如果某个学期体育成绩还不错，那她在音乐课上的表现就可能非常糟糕。如果数学进步了，科学就可能学得一塌糊涂。她总是这样，一个科目学好了，肯定就有另一个科目学不好，其他科目则不好不坏，普普通通。

佳奈一直过着这种不好不坏、普普通通的日子。

父母不批评她，但也不表扬她。今天肯定也是如此。

而姐姐美优则完全不同，她很漂亮，长得像爸爸。

佳奈很羡慕她。

姐姐上高中之后组了支女子乐队，据说暑假结束之后她们要在学校演出。

为了准备演出，姐姐今天又出去努力练习了。听说她们乐队已经有粉丝了。

明天起，我的暑假也开始了。

"就不能有什么好事发生吗？"

佳奈靠着洗手池，看着镜子，喃喃自语。

"好事这就有！想要有好事发生的话，请到这里来。"

不知从哪里飘来这样一句话。

佳奈还没搞清状况，就听到了一阵怪腔怪调的歌声。

噼噼啪啪，噗噜噗噜，嗒啦嗒啦，轰轰轰——

这是什么声音？难道是谁在和我说话？

佳奈循着声音传来的方向走去。走到击球声此起彼伏的网球场旁边时，她看到了一个闪闪发光的东西。突然，那个闪着金光的东西开口说话了。

"欢迎光临！能帮你实现愿望的火箭商店，现在开始营业！"

原来是一台自动售卖机。

"本店各种商品应有尽有，你肯定闻所未闻。错过了你将留下天大的遗憾！来吧，快来瞧一瞧，看一看。"

要是有冷饮的话正好可以买一点儿，佳奈一边想，一边走了过去。胖墩墩的售卖机抖了一下，像是在跟她打招呼。

"欢迎光临！本店有好东西哟！"

佳奈好奇地凑到窗口边往里看了一眼，立马惊讶得瞪圆了眼睛。

南极透心凉可乐、过山车汽水、跳伞果汁、尖叫冰棍、

好事发生唇膏……

哇！竟然全都是她见所未见、闻所未闻的新奇
玩意儿。

售卖机卖的大多是一些看起来很清凉的饮料，
这让和它们放在一起的唇膏显得很独特。

好事发生唇膏？

"刚才自动售卖机说店里有好东西，说的就是这
个吧？"

佳奈话音刚落，自动售卖机那两个像眼睛一样
的蓝色圆灯立刻闪烁起来，仿佛在对佳奈的话表示
肯定。

"只要把它涂在嘴唇上，就会有好事发生！"

天上怎么可能掉馅饼呢？肯定是虚假宣传，不
可信！

"你想骗我说，用了它就会变好看，是吧？"

"不，本产品没有使人变美的功效，用了它并不能变成美女。"

"那它到底有什么用？你说的'会有好事发生'指的是什么？"

"我也不清楚。"

"你们自己都搞不清功效的东西就敢拿来卖，这也太随意了吧。"

"但是用了它真的会有好事发生！"

佳奈冲着自动售卖机的"蓝眼睛"不满地噘起嘴，刚要开始抱怨，突然听到身后传来一个尖厉的声音。

"我说你这个小孩子，不买的话就让开，别在这里挡着！我渴得要命。"

佳奈回头一看，身后站着一个穿着网球运动装的女人。可能是因为经常锻炼，她的脸被晒得黝黑。她瞪着佳奈说："和机器都能吵起来，像什么话！我不喜欢小孩子真不是没有道理的……为什么要给他们放暑假啊，这些小孩子一到暑假就到处乱窜。"

女人一边发牢骚，数落佳奈，一边看向售卖机的窗口。

"哟，这台自动售卖机虽然怪模怪样的，卖的饮料看起来倒挺清凉的，不错。"

"全场商品，每件五百，任你挑选。"

"五百元！好贵啊。"

"一点儿都不贵，很便宜的。"

"机器就别老插嘴了，我买就是了。"

自动售卖机立马闭上嘴巴不出声了。女人心中不快，哼了一声，伸手指了指窗口里的一款商品。

"我刚刚大汗淋漓，干渴难耐，就要这瓶南极透心凉可乐好了。"

"好的，南极透心凉可乐一瓶，感谢惠顾。"

女人内心依旧嫌贵，她看了看掏出来的五百元硬币，心有不甘地将它投了进去。

丁零当啷！

哐当！

一个看起来就很凉爽的棕色瓶子滚了出来。

"本产品真的非常非常冰凉，请小口饮用。"

"真啰唆！"

女人不耐烦地拧开瓶盖，尝了一口。

"哎呀，好喝，冰凉爽口，好舒服！饮料下

肚后的这个凉爽劲儿，简直就像置身于避暑胜地！"

原本挂在女人额头上的汗珠一下子消失得无影无踪。佳奈在心中惊呼了一声"不好"。

佳奈还没来得及开口提醒，女人就咕嘟咕嘟地大口喝了起来。

"好舒服！真的是透心凉，就像在肚子里放了座冰山似的！"

就在这时，女人的脸上泛起了一层白霜。

"阿姨，刚才自动售卖机不是说，要小口小口地喝吗？"佳奈小声提醒。

可是女人对佳奈的话置若罔闻，继续大口喝了起来。很快，整瓶可乐都进了女人的肚子。

"呼——凉快了……唔，怎么这么冷？"

女人的身体突然开始瑟瑟发抖。

"感觉身……身体要结冰了……"

白霜很快蔓延到全身，女人被结结实实地冻成了一块大冰坨。

佳奈吓得尖叫了起来。这时，自动售卖机的"眼睛"从蓝色变成了绿色，然后射出一束绿光把女人的身体罩了起来。

接着，佳奈听到叮的一声，那声音像极了微波炉结束加热时的提示音。

看样子，还是能变回原样的。

佳奈长舒了一口气，开始重新打量面前这台闪着金光的自动售卖机。

虽然令人难以置信，但它说的竟然是真的。

"我要买好事发生唇膏。"

自动售卖机的"绿眼睛"啪地一下亮了起来。

"谢谢惠顾！涂了它，真的会有好事发生。"

佳奈取下书包，从里面掏出五百元，投了进去。

扑通一声，一个小布包掉了出来。

打开小布包，里面是一支和售卖机一样闪着金光的棒状唇膏。

佳奈迫不及待地想用一下看看。

她回到洗手池边，怀着激动的心情拿起唇膏在嘴唇上涂了涂。一瞬间，她的嘴唇上有一抹亮光划过。至于涂上之后给人的感觉，和普通的润唇膏并没什么两样。

"真的会有好事发生吗？"

佳奈正对着镜中毫无变化的自己喃喃自语，突然听见轰隆一声巨响。她扭头看了一眼，发现一个闪着金光的东西正飞速升空，一下子就蹿到洁白的云层里不见了。

那金光和自动售卖机的一模一样。难道……

佳奈大吃一惊，急匆匆地赶到刚才买唇膏的地方，那台自动售卖机果然已经不知所终。

那里只剩下被冻住的女人。女人身上的冰正在一点点地消融，她可以慢慢动弹了。她像一只刚从冬眠中苏醒的熊，舒展着身子说：

"哎呀，可真是结结实实地冻了一场啊！"

说完，她就慢悠悠地踱回网球场了。

看着女人离去时的笨拙姿态，佳奈一边忍俊不禁，一边朝公园出口走去。

有好事发生，到底会是什么好事呢？

佳奈一边走路一边琢磨，书包咣当咣当地轻轻撞着她的后背。这让佳奈想起了一件不算好事的事——书包里还装着成绩单。那张成绩单上的成绩虽然不算糟糕，但是太普通了，普通到有些无聊——语文成绩挺好，科学成绩糟糕，剩下的……全是老样子，唉……

佳奈轻轻叹了口气，然后竟然找到一个旋律，哼起歌来。

语文还不错，科学很糟糕！

其余的全都普普通通。唉唉，成绩单！

……

"哈哈，就叫它《不理想成绩之歌》吧。这首歌虽然挺有趣的，但是会暴露成绩，可不能大声唱。"

佳奈以旁人听不到的音量，轻轻哼着自创的歌曲，走出了公园，来到路口的红绿灯前。路口有位大叔正拖着行李四处张望。明明周围有不少行人，他却径直转向佳奈。

"小姑娘，不好意思，请问……"

"您是问我吗？"

佳奈完全没预料到会有人向自己问路，吃了一惊，因为以前从没有人向她问过路。

"该往哪边走，才能找到这个地方啊？"

大叔翻开手账给她看，上面画着从车站到目的地的路线图。

佳奈看了看，明白了，原来大叔要去的是公园对面，佳奈的好朋友家就在那边。那段路挺绕的，大叔初来乍到，想找到那个地方确实不容易。

"大叔，您可以直接从公园穿过去，然后抄近道到这个地方。走我说的这条路比走您手账上标记的那条路凉快。我重新给您画一张路线图。"

佳奈在大叔的手账上画好路线图后，又详细地解释了一番。大叔忙不迭地道谢，还给了佳奈五百元作为指路的报酬。

"我实在不知道该怎么走了，正发愁呢，就遇到了你。小姑娘，你真的帮了我大忙了。绝处逢生就是这个意思吧。”

“刚才路上明明有那么多行人，您为什么偏偏选择向我问路呢？”

佳奈将自己的疑惑说了出来。

“因为你带着特别灿烂的笑容走了过来。”

“我还是第一次被人这样夸奖！别人经常说我总是满脸不开心，甚至还有人为此问我是不是哪里不舒服。”

大叔听了以后豪爽地大笑起来。

“我们都看不到自己的脸，这真是伤脑筋啊！”

然后，大叔自言自语道：

“今天真幸运，遇到了一件好事。”

佳奈从口袋里掏出好事发生唇膏，有点儿疑惑：

的确有好事发生，但是没发生在我身上，这也算？

不管怎么盯着看，唇膏也只是闪了闪光。

算啦，反正买唇膏花的五百元刚刚又回来了。

和大叔道别后，佳奈背着书包继续往家的方向走。咣当咣当的撞击声里，她又为《不理想成绩之歌》想出了一段新歌词。

语文还不错，科学很糟糕！

其余的全都普普通通。唉唉，成绩单！

眼睛挺可爱，嘴巴却很丑！

其余的全都普普通通。唉唉，我这个人！

刚回到家，她还没来得及从书包里把成绩单拿出来，就听到妈妈满怀期待地说：

"佳奈这学期肯定进步了。"

但是，看了成绩单后，妈妈却很失望。

"这不还是老样子嘛。"

真搞不懂，妈妈刚才为什么觉得我肯定进步了……

直到泡澡的时候，佳奈才明白了妈妈会这样想的原因。透过雾气看着镜子中的自己，佳奈突然发现了点儿什么。

咦，好像哪里不对劲。

她擦去镜子上的雾气，端详着自己。

哇！真的假的？

佳奈之前下垂的嘴角，现在向上翘了起来。现在的佳奈看起来不再垂头丧气，而是喜气洋洋的。

她之前总被人说一脸苦相，现在脸上却像写着"心情愉悦"四个大字。

这下佳奈绝不会再被人误以为哪里不舒服了！

原来，大叔看到我满脸开心的样子，才会向我问路。妈妈以为我成绩进步了也是因为这个。

哇，流露出这样的神情真的像有好事发生一样。

语文还不错，科学很糟糕！

其余的全都普普通通。唉唉，成绩单！

眼睛挺可爱，嘴巴却很丑！

其余的全都普普通通。唉唉，我这个人！

但是啊但是……

浴室里回荡着佳奈响亮的歌声。

很快，一阵急促的脚步声传来，是妈妈。

"佳奈，别唱了！你唱得这么大声，成绩都被邻居们知道了。"

第二天早晨，佳奈一起床就照了照镜子。很遗憾，镜子中的她又变回了嘴角下垂的样子。看来，唇膏的功效只能维持一天。

但是，只要再涂一次，嘴角就又会可爱地向上翘起了。想到这里，佳奈雀跃起来，痛快地去洗漱了。

语文还不错
科学很糟糕

早饭是黄油吐司，佳奈在餐厅吃早饭的时候，姐姐美优穿着睡衣一脸困倦地走了进来。听说她昨天一整天都在参加乐队的排练。

"面向高中生乐队的大赛马上要开始了，我们乐队一定要出线，并最终夺冠！"

她一边说，一边抢过佳奈手中的吐司，大嚼起来。

真讨厌！

"你们乐队不是你上高一之后才组建的

吗？怎么可能拿冠军？"

"重点是气势，气势！"

佳奈无奈地重新烤了一片吐司。姐姐美优像是突然想起了什么似的，扑哧一声笑了出来。

"说起来，昨天晚上我刚到家门口就听见你在浴室里唱歌。"

什么？真丢人！自己编的那首《不理想成绩之歌》竟然被姐姐听到了，佳奈顿时红了脸。

"语文还不错，科学很糟糕……哈哈哈。"

"你别唱了！"

"其余的全都普普通通。唉唉，成绩单！"

"都说了别唱了！"

"没办法，这歌太好记了。"

"你给我忘掉它。"

看到佳奈要生气了，姐姐美优又大又圆的眼睛里满是笑意。

"我的意思是，这首歌这么好记，说明它是首好歌。佳奈你没准儿很有音乐才华。"

"真的吗？"

"嗯。不过，跟我比还差一点儿。"

"你好烦！"

"你这是什么态度啊！我明明在夸你。哼，那我偏要唱！眼睛挺可爱，嘴巴却很丑！其余的全都普通普通……"

"姐姐这个大笨蛋！脸蛋挺可爱，脑袋乱糟糟！"

"你说什么？！"

"姐姐，对不起，你别生气。"

"我的脸蛋明明超可爱的好不好？"

"原来你在意的是这句！"

本来在洗衣服的妈妈不得不跑过来，把嘴里塞满吐司还不忘斗嘴的两姐妹拉开。

"美优，赶紧去换衣服，知不知道现在几点了？下次再赖床，你那个乐队就别办了。"

"别！"

嘻嘻，被骂了吧。佳奈幸灾乐祸。

"佳奈你也是，不是要去暑假补习班吗？真那么想为成绩唱歌，好歹先考个值得歌唱的成绩吧。"

妈妈说得对。佳奈也熄火了。

这回轮到姐姐美优笑话她了。

唉，暑假刚开始，就和姐姐吵了一架。

根本就没有什么好事发生嘛！

佳奈回到房间，开始收拾去补习班要带的东西。她掏出好事发生唇膏，仔细端详了一会儿。

还是涂上它吧，她心想。

佳奈对着手上的小镜子涂唇膏。唇膏刚碰到嘴唇，嘴唇上就有一抹金光闪过。

补习班的南老师是一位兼职的女大学生。她戴着眼镜，非常亲和，很擅长教学。佳奈觉得南老师和喜欢捉弄人的姐姐美优完全是两种人。

今天补习的内容是谚语。

人有失手，（　　）有失蹄

"大家说，这里应该填什么呢？给大家一个提示，不是小猪哟。"

大家哄堂大笑起来，一起答道："马！"

"那这句谚语是什么意思呢？大家都知道，马很善于奔跑，但就算这样，马也——"

"也有跌倒的时候。"

不知是谁说出了正确答案，老师笑了。

"回答正确。谚语通过许多通俗的语句，传达深刻的道理。大家一定要多记多用。"

南老师笑眯眯地出了第二道谚语题。

有心栽花花不开，（   ）

"这道题稍微有点儿难，哪位同学知道答案？"

佳奈好像在哪儿听过这句谚语，正在大脑中搜索，没想到撞上了老师的视线。

"佳奈同学看起来很有信心呢，那就请你大声说出答案吧。"

很有信心？坏了，是那支唇膏的效果。

对这句谚语，佳奈大脑中只有模模糊糊的印象，于是她脱口而出："车到山前必有路。"

南老师一下子笑了起来，班里的同学也跟着大笑起来。

正确答案是"无心插柳柳成荫"。

唉，明明根本就不知道答案，却被南老师误会了……今天就不该涂那支唇膏！

下课之后，南老师特意走到闷闷不乐的佳奈身边，对她说："对不起，老师不该笑的。虽然你没有答对，但老师觉得你回答的那句话非常不错。"

然后，南老师突然凑到佳奈耳边说起了悄悄话：

"其实，老师明年就大学毕业了，但现在工作还没着落，心情很糟糕。可刚才听了你回答的那句话，

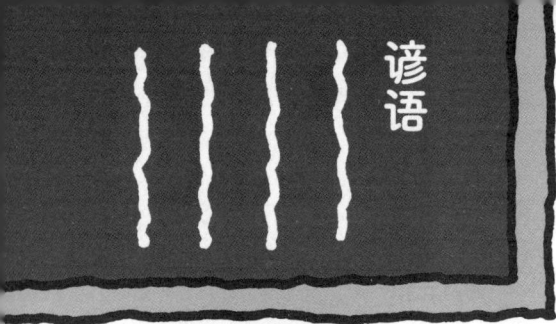

老师突然觉得没那么焦虑了，毕竟'车到山前必有路'。谢谢你，佳奈。"

　　佳奈透过老师的眼镜片，看到了老师眼里的笑意。老师还在佳奈的本子上画了朵小红花。

　　这一次，好事又没有发生在佳奈身上，倒是发生在了南老师身上。

　　唇膏是不是又搞错了？

佳奈本来有点儿生气，但当她在补习班走廊的镜子里看到自己嘴角上扬的笑脸时，她心里乱糟糟的情绪瞬间就飞到九霄云外去了。

虽然发生的好事和我无关，但南老师要加油哟，佳奈这样想。

从补习班放学回家的路上，佳奈又因为唇膏遇到了一段小插曲。

回家路上，佳奈突然听到一阵哭声。她循声望去，只见一个男孩正拽着一个小女孩的手，一副要把她拖走的样子。

没看见她不愿意吗？还拽，太过分了吧！佳奈在心里批评那个男孩子。

走近了些，她发现那个男孩竟然是他们班的亮太。佳奈慌忙装作没看见，结果晚了，亮太已经看到她了。班上的男生喜欢结伴玩摔跤游戏，女生和他们玩不到一起，所以佳奈从没和亮太说过话。

亮太看向佳奈，脸色很糟糕。

"你笑什么呢？我照顾妹妹有那么可笑吗？"

"我没有笑你……"

"哼，随便，你不要在学校乱说就行。我得去参加足球比赛，我妹却死活不愿意走。喂，莉子，快跟我走！"

不管亮太怎么拽，莉子都只是哭闹，根本不挪步。

"我不！我要冰激凌！"

"都说了，待会儿给你买！"

"我现在就要！现在就要！"

"说多少遍了，现在买的话就赶不上比赛了！"

亮太平时在班里挺威风的，现在竟然被迫照顾妹妹。看到这样的亮太，佳奈觉得有点儿不适应。

"莉子妹妹。"

听到佳奈叫她，莉子渐渐止住哭声，对着佳奈笑了。

"奇怪，我妹从不亲近别人。真神奇。"

就在这时，本来在啧啧称奇的亮太突然大喊道：

"对了，可以麻烦你带我妹妹去买冰激凌，然后带她来学校的操场吗？拜托你了，你的冰激凌我也请了！"

我要冰激凌！

"我才不要。"

亮太苦思冥想了一番，说："那玩躲避球的时候，我保证不砸你，行了吧？"

不被砸？听起来很划算的样子。

亮太飞速把钱包和妹妹的手一起塞到佳奈手中，交代道："莉子，等下和姐姐一起过来哟！"

佳奈还没来得及拒绝，亮太就已经跑得没影儿了。

"没办法了。莉子妹妹，我们一起去买冰激凌吧。"

"嗯！"

莉子小小的手紧紧牵着佳奈。好可爱！

她们俩来到便利店，进去买了冰激凌，一边吃一边向学校走去。

佳奈觉得自己好像突然多了个妹妹，这种感觉真好。

妹妹多可爱啊。姐姐美优对我却一点儿都不好，她真得好好反思一下！

她俩走到学校操场的时候，足球比赛已经开始
了，亮太正在赛场上奔跑。等到她们找地方坐下时，
亮太也看见了她们，开心地朝她们挥了挥手。

"哥哥加油！"

听到妹妹的加油声，亮太追起球来更有劲了。

"你哥哥在家也是凶巴巴的吗？"

"才不是呢，哥哥可喜欢跟妈妈撒娇了。"

不好，要笑出声了。

亮太完全不知道自己的大秘密已经被泄露了。
他刚进了一个球，正在帅气地振臂高呼。

回到家以后，佳奈窝在床上端详南老师画的小

红花，脑海里浮现出自己买了好事发生唇膏之后发生的每一件事。

昨天在炎炎烈日下给大叔画图指路，大叔可高兴了，告别的时候一个劲儿地朝她挥手。

今天早上和姐姐吵架了……但是姐姐出乎意料地夸了她编的歌。

然后是给了她一朵小红花的南老师，感觉南老师已经准备好迎接人生的新阶段了。

在那之后遇到了亮太。他终于赶上了比赛，所以很高兴。他的妹妹莉子还给他加油了。

佳奈的脑海中浮现出一张张笑脸。大家身上都有好事发生，所以每个人的脸上都洋溢着幸福的笑容。

佳奈凝视着手上的好事发生唇膏，金色的唇膏像在回应她一般，倏地亮了起来。

大家的笑脸，就像一朵朵怒放的鲜花，环绕着

佳奈。这么想着，佳奈也开心起来。她忽然意识到，那些像花儿一样的笑脸的中间，正是和大家一起欢笑的自己的笑脸。

在大家眼里，我也是笑着的，佳奈想。

笑容啊真美丽，就像花儿在盛开。

笑容啊真神奇，就像花儿在轻颤。

看见大家的笑容，哎呀呀，我也笑开了颜。

和大家一起盛开。

佳奈把刚才浮现在大脑中的诗写在了那本画着

小红花的笔记本上，然后把它拿给姐姐美优看。姐姐再一次对她大加称赞。

"真棒！简直和我的水平一样高了。我来给它谱个曲。"

姐姐说完，就冲了出去。

真的吗？我写的这首诗会变成一首歌吗？佳奈非常期待。

不过，尽管佳奈在家满心欢喜地等待着，姐姐回来却什么也没说。快比赛了，乐队每天忙着排练，她没工夫管谱曲的事。

果然，自己写的诗变成一首歌这件事就没什么希望。佳奈失望地想。

那台自动售卖机本来就奇奇怪怪的，而且它也没说"好事会发生在买唇膏的人身上"。

佳奈下定决心，今后就算不涂唇膏，也要努力微笑。

从天而降的自动售卖机说的话原来是真的。佳奈意识到这件事时，暑假已经过半，而镜中自己的笑容已经渐渐变得自然。

那天，佳奈正在和爸爸妈妈吃晚饭，姐姐美优给妈妈打了一个电话。

妈妈接听了没多久突然瞪大眼睛喊了起来。那声音，估计所有邻居都能听到。

"美优她们乐队，在今天的比赛中得了第一名！"

"太好了！"

佳奈和爸爸欢呼起来。这时妈妈又提高了音量。

"而且，唱的还是佳奈写的歌！"

"什么？！"

"接下来是获奖者表演，美优让咱们在电话里听。"

妈妈急忙把手机的音量开到最大，好让大家都能听到。

比赛现场的热闹气氛一下子席卷了佳奈家的餐厅。大家听到了美优喜悦的声音。

"谢谢大家！佳奈，我们得了第一名！接下来给大家带来的是我可爱的妹妹创作的一首歌曲，叫作《笑脸来福》。"

在爸爸妈妈饱含笑意的眼中，佳奈变成一朵满脸通红的幸福小花。

姐姐，谢谢你！

吉他奏起了帅气的旋律，美优充满活力的歌声随之响起。

语文还不错
科学很糟糕

语文还不错，科学很糟糕！

其余的全都普普通通。唉唉，成绩单！

啊，竟然是这首歌?！

佳奈虽然超级开心，但还是觉得很丢脸，姐姐真是个大笨蛋！

跟着这首歌朗朗上口的旋律，全场一起来了个大合唱。

眼睛挺可爱，嘴巴却很丑！

其余的全都普普通通。唉唉，我这个人！

但是啊但是，这也不错，这也挺好。

因为这是，现在的我。

我最喜欢的我。

耶！耶！

不想上学猫护照

我是猫

邦彦讨厌上学，他觉得学习是一件很无聊的事。不过学校的午餐还行，他也喜欢在学校午休。他时常想，有没有哪所学校提供午餐，还让学生午休，但是不管学生的学习啊？

他有时还会想：

讨厌上学是我的错吗？

如果老师像喜剧演员一样幽默，我肯定会爱上学习并乐此不疲。如果做算术题像玩游戏一样有趣，如果科学课的课堂时间都用来做实验，如果社会课每次都去校外上，我肯定会爱死上学。

昨天，邦彦偷偷在课桌底下看漫画书时被老师发现了，漫画书被没收了。老师给邦彦父母打了电话，邦彦回家后被骂了一顿。

老师还叮嘱邦彦父母每天上学前检查一下邦彦的书包里有没有藏漫画书。

啊，真不想去上学。

走出家门后，邦彦迈向学校的步子越来越慢……终于，他停了下来。

他一步也不想往前走了，但是又没法折回家。

"唉！"就在他无奈地叹气时，一只橘猫从他眼前经过，目不斜视地走进了公园。从这里能看见公园里那片开阔的大广场。

邦彦鬼使神差地跟在橘猫身后走进了公园。

公园里有很多猫，广场的长椅旁有一位老奶奶在给它们喂食。

老奶奶是公园里的名人——猫奶奶！

长椅周围挤着很多流浪猫。神奇的是，它们吃猫粮时不争不抢，都很安静。吃饱的猫要么随便找个地方躺着晒太阳，要么和同伴玩耍打闹。

看着它们，邦彦大脑中突然冒出一个想法：我也好想当一只流浪猫啊。

当流浪猫多好呀，不用学习，每天都可以悠闲地玩耍，饿了还有人喂。

邦彦正想得出神时，一只壮硕的奶牛猫威风凛凛地走了过来。

它看起来很凶，像是那种遇到小孩子就要龇牙咧嘴恐吓一番的猫老大。它一来，猫小弟们就飞速给它让出位置，它则挥动尾巴以示慰问。接着，它凑到猫奶奶亲手制作的一大碗猫粮前，大口大口地吃了起来。猫老大对猫奶奶很亲近，允许她抚摸自己的头和下巴。

这碗猫粮看起来比学校的午餐还要好吃。

邦彦刚露出眼馋的神情，猫老大就倏地扭头看向他。紧接着，其他流浪猫的目光也齐刷刷地向他扫射过来。

邦彦吓了一跳，赶紧从长椅前走开了。

要不要去水池旁看看乌龟？他刚要迈步，忽然听到一阵怪腔怪调的歌声。

噼噼啪啪，噗噜噗噜，嗒啦嗒啦，轰轰轰——

听起来很有趣的样子。紧接着，邦彦又听到了叫卖声：

"欢迎光临！能帮你实现愿望的火箭商店，现在开始营业。"

这种地方也开商店了？

邦彦感到很惊讶，等走近才发现，水池旁边立着的并不是商店，而是一台形状像火箭的有些奇怪的自动售卖机。

它卖的东西就更奇怪了。

可口午餐粉、偏心徽章、老

师变喜剧演员喷雾、不想上学猫护照、午休延长券……

"便宜卖，便宜卖，每件只要五百元！"

自动售卖机那两只像眼睛一样的蓝色圆灯不停地闪烁着。

"老师变喜剧演员喷雾是干什么的啊？"

"只要把它喷到老师身上，无聊的课堂就会变成搞笑现场，它能让学生天天开怀大笑。"

"这太棒了吧！学生都会喜欢的！那这枚偏心徽章呢？"

"你只要戴上它，老师就会偏爱你。"

"那这包可口午餐粉肯定是用来把学校的午饭变好吃的吧！

"这张午休延长券可以把午休时间延长？"

"没错。你想延长到什么时候，就可以延长到什么时候！"

"哇，要是能一直午休到放学也太爽了。"

邦彦刚才不正在梦想这样的生活吗?!

"这些我全都想要，不过……这本不想上学猫护照是干什么的？"

"它是流浪猫的身份证明。有了它，你就可以变成流浪猫，每天悠闲度日啦。"

邦彦的脑海中浮现出刚才看到的流浪猫的幸福生活。

"只要向别人出示这本护照，就算不上学也没关系！"

原来如此。其他商品都必须在校园里使用，只有这件不一样。好，就它了！

邦彦从书包里掏出钱包。

不过，花掉五百元零花钱让他有点儿心疼。

当嘟当嘟！

"你已成功购得不想上学猫护照。感谢惠顾。"

自动售卖机浅浅地鞠了一躬，眼睛般的蓝色圆灯唰地一下亮了。

只听啪的一声，邦彦的照片已经贴在了不想上学猫护照上。

我到底买了个什么奇怪玩意儿？

邦彦刚有些懊悔，就听见啪嗒一声，原来是自动售卖机的窗口关上了。

"能帮你实现愿望的火箭商店即将打烊。"

"这股白烟是什么？啊，不是吧？"

"三、二、一——打烊！"

轰——

自动售卖机闪着金光，冲进云霄消失不见了，只留下邦彦目瞪口呆地站在原地。

还真是会飞的火箭啊。

邦彦还在望着天空发愣。突然，一阵慢腾腾的脚步声响起，紧接着一张奶牛猫的脸出现在邦彦眼前。邦彦吓得汗毛都竖起来了。

是猫老大！

猫老大朝邦彦亮了亮锋利的爪子，小跑着扑了过来。

邦彦害怕至极，下意识地把双手伸了出去。

猫老大紧急刹车，停了下来。它凑到邦彦手边仔细端详他手里的东西，又上上下下认真打量了邦彦一番，然后喵呜一声，十分亲近地对邦彦说：

"我还以为你是人类呢，原来是我的同类啊。你是新来的？"

邦彦震惊得说不出话来。猫老大皱了皱它黑色的鼻头说：

"这儿的水很好喝。我先喝了。"

它说着便小口喝起了池水。

邦彦趁机悄悄倒退了几步，然后转头急急忙忙往前跑，一直跑到了广场上。一颗悬着的心总算放下了。这时候，在他的心

底，一股惊喜之情油然而生。

我竟然听懂了流浪猫的话！它还说我是它的同类！

这本不想上学猫护照好厉害啊！

邦彦一边想，一边笑着跑出公园，流浪猫们都惊讶地看着他远去的背影。

邦彦刚溜进教室，就看到石川老师板着一张脸走了进来。

石川老师非常认真。

还好赶上了！邦彦松了一口气。昨天石川老师大发雷霆，邦彦被狠狠训了一顿，所以今天还是小心为上。

邦彦把那本神奇的猫护照放在了社会课本上。

他这才发现，护照上照片下方还有两行小字。

请佩戴在方便查看的地方。

照片一旦摘除，本护照自动作废。

原来如此。邦彦想起刚才猫老大的表情。

就在这时，石川老师突然大喝了一声："邦彦，你又在看什么？我不是说过吗？不准把漫画书带进教室！"

邦彦在心里暗呼了一声"糟糕！"，被气得眉头紧蹙的石川老师已经走到他身边了。

"我没有看漫画书。"

垂头丧气的邦彦把猫护照交给老师。

老师一下子尖叫起来：

"呀，流浪猫！快出去！"

邦彦吓了一跳。这本猫护照还真好用！

邦彦把猫护照别在胸前。此时教室里乱成了一团，大家都在叫嚷："有流浪猫跑进来了！"

邦彦一边嘻嘻嘻地笑着，一边按照老师说的，从教室里跑了出去。

虽然现在是冬天，但今天是个大晴天，万里无云的晴空让人心情十分舒畅。

操场上，一年级的
学生正在做体操。操场
旁边有一片沙地，现在那里一个人
也没有，于是邦彦选择在那儿晒太阳。
他悠闲地躺下，看着云卷云舒，不由
得像猫一般发出一声幸福的叹息。

喵呜——做猫可真好。

猫护照佩戴和取下都很方便。护
照背面写着注意事项。

**注意：千万不要把本护照
弄脏或使其破损。详
情请咨询火箭商会。**

从教学楼那边传来了校歌合唱的声音。透过歌声，邦彦似乎看到了合唱团那些孩子无聊的表情。

邦彦像猫一样舒服地伸了个懒腰，目不斜视地快步走出校门。

平时，这个时间要是有个小学生在街上闲逛，大家都会觉得奇怪，可今天完全没人注意到邦彦。

毕竟他现在是一只流浪猫。

在路口等红绿灯的时候，邦彦还被一旁的老奶奶表扬了。

"哎呀，还知道遵守交通规则呢，真是只好猫。"

"我一直都遵守呀。"

邦彦这么回答后，老奶奶更起劲地夸起他来。

"哎呀，还冲我喵地叫了一声，竟然知道回应我，你可真是只聪明的猫。"

什么?!就算我说的是人类的语言，在别人听来也只是喵喵的叫声？

"不过，你这只猫……块头真大。"

只是等了一下红绿灯而已，就被表扬了，邦彦心里美滋滋的。

哇，做猫可真有趣！

"那么，再见了，老奶奶。"

邦彦趁着绿灯亮的时候跑过马路，去了商业街。

各家店铺基本都刚开门营业。

花店门口飘出阵阵清香，邦彦停下来嗅了嗅，结果打了个大喷嚏，惹得花店的小姐姐哈哈大笑。

接着，邦彦又被书店的老爷爷用掸子轰走了。可他明明只是嗅了嗅书的气味，又没干坏事。

　　大街上弥漫着各种各样的味道：新鲜出炉的面包的香气、摊位上蔬菜和鱼的气味、刚煮好的荞麦面的香气、咖啡的香气，还有鞋店飘来的新皮鞋的味道、美容院飘出的染发剂的味道，以及牙科诊所飘出的消毒水的味道……

　　是因为变成猫之后嗅觉变敏锐了吗？邦彦一边不停地嗅着，一边往前走。经过一家服装店嵌着大镜子的橱窗时，他忐忑不安地走到镜子前。

　　镜子中的还是从前的那个邦彦，没有任何变化。

　　不过，能让其他所有人都把他当成一只猫，真是了不起的魔法，真的太不可思议了。

　　邦彦胸前的猫护照映在镜子中，闪过一抹金光。就在这时，远处飘来了邦彦最喜欢的香味。

　　啊，是刚出锅的可乐饼！

　　邦彦的肚子开始咕咕叫。他无法忍受这种饥饿感，双腿不由自主地动了起来。循着香味，邦彦来到了小吃店门口。

这家店的肉末土豆可乐饼简直是人间美味。

方形的滤网上摆满了刚出锅的可乐饼，个个金黄酥脆，冒着热气。邦彦看着可乐饼，馋得直流口水。

他想买一个解解馋。不幸的是，他身上没有钱。

钱包在书包里，书包被扔在教室里了。

真的好想吃可乐饼啊！邦彦馋得挪不动步，站在原地抽着鼻子嗅香气。

这时，小吃店大叔的怒吼声从店里传来了。

"去去去，流浪猫，快给我走开。"

突然，邦彦趁大叔不注意，快速叼起一个可乐饼，一溜烟儿跑了。等大叔发现可乐饼被偷，匆忙从店里冲出来时已经晚了，他只好盯着流浪猫的背影大骂：

"可恶的小偷！下次再看到你，我一定不会轻饶了你！"

邦彦咬了一口可乐饼。真好吃。做猫真幸福啊！

他站在电线杆的影子下，一边被烫得呼呼直吹气，一边大口大口地吃着可乐饼，腮帮子一鼓一鼓的。这时，身后突然传来一个熟悉的声音。

"咦，这不是邦彦吗？"

糟了，是爷爷。

邦彦急忙把可

111

乐饼全塞进嘴里，然后转过身亮出胸前的猫护照。果然，拎着购物袋的爷爷以为是自己认错了，把眼镜摘下来擦了擦。

"也是，怎么可能是邦彦！他现在应该在学校里。哎呀，我竟然把一只流浪猫认成了孙子。看来我真是上了年纪，老糊涂了。"

邦彦捂着脸跑掉了。

呼——刚才他着实吓了一大跳。

快到午休时间了，他决定回学校去。

回学校的路上，遇到的狗都朝他叫个不停。回到学校后，他悄悄找了个没人的地方，把猫护照摘了下来。

他回到教室时，上午的课已经结束了，大家都去吃午餐了。

吃完午餐回来后，没人再把邦彦看作流浪猫，也没人发现邦彦一上午都不在。

"咦，你刚刚去哪儿了？"

同桌只这么问了一句。

"嗯……有点儿事出去了一下。"邦彦回道。

邦彦松了一口气。

真棒！从明天开始，他决定到学校放下书包后就变成流浪猫出去玩，到了吃午餐和午休的时间再回来。流浪猫的生活万岁！

下午邦彦倒是好好听课了。下午的时光很快就过去了。

晚餐有肉末土豆可乐饼。

他白天才吃过，所以觉得有点儿腻。

妈妈没注意到他的表情，笑着对他说：

"看，这是爷爷特意给你买的。你不是最喜欢吃这家的可乐饼吗？"

原来上午他遇到爷爷那会儿，爷爷是去买可乐饼了。爷爷腿脚不是很方便，竟然为了他……

爷爷开心地说：

"因为邦彦上学很辛苦，所以爷爷买了你爱吃的可乐饼犒劳你。快，多吃点儿。"

"好！"

邦彦咬了一口可乐饼，心中涌起一阵感动。

"刚出锅的时候肯定更好吃。"爷爷有点儿遗憾。

"不，现在比刚出锅时好吃。"

"是吗？"

爷爷非常欣慰。之后，大家聊起了从小吃店老板那里听来的事。

"小吃店老板非常生气，说有可乐饼被流浪猫偷走了。"

"竟然有这种事！"妈妈笑了起来。

"不过我也看到了，那一瞬间我还以为那是邦彦，结果是只叼着可乐饼的猫。有些流浪猫会偷东西，跟小偷没什么两样。"

妈妈笑得停不下来。

小偷……

邦彦的情绪突然有点儿低落。

吃完晚餐，邦彦借口说要买文具，溜出了家门。

夜空中明月高悬。

公园里传出一群流浪猫吵吵嚷嚷的声音，听起来像是在开会。

邦彦戴上猫护照，上前探听情况。没想到猫老大看见他后，一下子笑了起来。

"噢，是你啊，新来的。小吃店的可乐饼是你偷的吧？能在那位大叔眼皮子底下干成这事儿，我很欣赏你。"

猫老大说完后，其他猫一齐竖起尾巴，对邦彦表示赞赏。

那天晚上，正准备关门的小吃店老板突然握着拳头冲了出来。他看到白天偷可乐饼的那只流浪猫在空可乐饼架子旁徘徊。

"好啊，你还敢来！"

小吃店老板准备抓住它，然后狠狠地修理一顿。结果，喵——这只毛色很少见的藏青色猫朝他叫了一声，并往架子上放了什么东西，然后目不斜视地快步走开了。

那只猫竟然往架子上放了一枚一百元硬币！小吃店老板震惊不已，他拿起硬币目不转睛地盯了好一会儿，然后便兴奋地招呼待在店里的大妈过来看。

"白天偷东西的那只猫刚刚又来了，竟然把可乐饼的钱补上了。"

逃学之后做些什么呢？

清晨，邦彦躺在暖烘烘的被窝里思考这件事。

既然哪里都能去……干脆去车站前的电影院看动画片吧！去游乐园也不错。还可以坐一坐电车。还能干什么呢？对了，要不溜到朋友家看看吧，做一只闯进他房间的流浪猫！

不过邦彦起床后才发现，这天是周六，他不用去学校。

"好遗憾，我今天想去学校。"吃早饭的时候邦彦说道。妈妈顿时瞪大了眼睛，一副非常惊喜的样子。

我说想去学校，有那么值得高兴吗？邦彦很纳闷。

好朋友打电话过来，约邦彦下午去踢足球。

没办法，那就周一再做流浪猫吧。

邦彦正想着呢，机会却不期而至。出门买东西回来的妈妈惊讶地跟爷爷说：

"小吃店老板新推出了一款猫咪可乐饼。他说，连小猫都付钱来买他家的可乐饼了。"

"小吃店老板还挺有商业头脑的。"

什么？小吃店的大叔竟然推出了猫咪可乐饼！踢足球之前我得去小吃店看看，邦彦心想。

吃过午餐后，邦彦高高兴兴地走出家门。转过拐角后，他拿出猫护照戴上。

商业街的小吃店门口竖着一面黄色的旗子，上面写着几个大字——"欢迎流浪猫光临本店"。

紧接着，邦彦听到了小吃店大叔精神抖擞的声音。

"我们家的可乐饼，味道真是绝了，连小猫都忍不住掏钱来买。我可没扯谎，这是真真切切发生过的事，那只猫付了一百元给我。"

所谓的猫咪可乐饼，味道和普通的肉末土豆可乐饼没什么两样，只是被特意捏成了可爱的猫爪状。

大家听闻都觉得十分新奇，纷纷掏钱购买。

邦彦刚走过去，大叔就兴奋地冲出来对他说：

"是你啊，流浪猫，又来买可乐饼啦？"

真有小猫来买可乐饼！客人们都惊讶地转头望向邦彦。

"就等你来呢。刚才有只黑白相间的大肥猫大摇大摆地走进来了，我一眼就认出来那不是你，就用平底锅敲了它几下，把它轰走了。"

啊，那肯定是猫老大，不知道它有没有受伤。

小吃店大叔心情不错，豪爽地说：

"今天免费招待你。你想吃什么随便拿！"

还有这等好事！

公园的草坪广场很适合晒太阳，所以成了流浪猫的聚集地。

邦彦捧着一个鼓鼓的大袋子走了过去，袋子里装满了可乐饼、猪排和其他油炸食品。流浪猫们都开心极了。

欢迎流浪猫光临本店

就连脑袋被平底锅敲出大包的猫老大，在吃完邦彦给的最大的一块猪排后，心情也由阴转晴了。

"真好吃，不过小吃店大叔还是大坏蛋。"

在美味面前，连猫老大都粗声粗气地说了句撒娇般的别扭话。

大家看上去都很幸福，真是太好了。

邦彦和流浪猫们一起吃起可乐饼来。这时，他看到了朋友们在足球场上开心踢球的身影。

他看了一眼广场的时钟，原来已经到和朋友们约好的踢球时间了。

邦彦跟流浪猫们道别，走到足球场的入口处后，把猫护照摘了下来。

"嗷呜！"

邦彦被一声咆哮吓了一跳，慌忙转过身才发现，猫老大瞪圆了双眼怒视着他。原来它跟了过来。猫老大的神色突然变得特别可怕，从后背到尾巴尖儿的毛全都呼地一下炸了起来。

糟糕！邦彦连忙重新戴上猫护照。

"枉我把你当同类！你竟然一直在骗我！"

"我不是有意欺骗你的，我只是想体验一下流浪猫的生活。"

可惜，现在解释已经太迟了。

"你这个骗子！我讨厌人类！"

猫老大唰地一下亮出锋利的爪子，把猫护照打飞了。

发泄完，它才重新迈着步子慢腾腾地走远了。

邦彦跑过去捡起猫护照，发现上面的照片已经裂成了两半，护照也不再闪烁金光。

他长长地叹了一口气——他以后再也没法做猫了。

一阵失落感涌上心头。

　　不知为什么，他的眼前浮现出了爷爷的脸，爷爷笑着冲他点了点头。

　　算了，我本来就是人，那就做人好了！在心里大声宣告之后，不知为什么，他轻松了许多。

　　邦彦劲头十足地踏进足球场，正好有人一脚把球踢到了他的脚下。

　　于是邦彦朝他们挥挥手打了声招呼，抬脚把球踢了回去。这球踢得不错，正好飞向大家中间。

奇怪的是，竟然没有一个人去捡球，任由它在地上骨碌碌地滚着。

大家震惊地看向邦彦。

这时，邦彦最要好的朋友生气地喊道：

"滚远点儿，流浪猫！"

不是吧，邦彦明明没有戴猫护照啊。怎么会这样呢？

邦彦抽噎着走回家，看见爷爷正拿着扫帚在清扫院子。

"爷爷，呜呜呜……"

爷爷疑惑地把眼镜摘下来擦了擦。

"我是邦彦。猫护照坏掉了，我好像变不回人了。爷爷，您帮帮我吧。"

但在爷爷听来，这只是猫在喵喵叫罢了。

"你这只流浪猫，快走开。"

邦彦差点儿被爷爷的扫帚打到，只好含着泪从院子里逃了出去。

这是一个晴朗的冬日，刮着刺骨的北风。

沮丧的邦彦通过校门的缝隙钻进了学校，脚步沉重地在因周末而空空荡荡的校园里走着。

走到教学楼附近，经过他们班教室时，他突然听到里面传来一阵笑声。

他透过窗户往里一看，发现石川老师正拿着一本漫画书笑得前仰后合。

那不是从我这里没收的漫画书吗？石川老师竟然在偷偷看漫画书！

邦彦没忍住从窗户玻璃上冒出了头，结果被石川老师发现了。

完蛋了，要被骂了——他正这么想着，却听见石川老师开心地说：

"咦，是昨天那只小猫呀，你今天又来了啊。看来你很喜欢学校嘛。对不起，昨天硬把你赶跑了。来，过来。"

石川老师招呼邦彦进教室。现在的她和平时判若两人。

"其实我也不想冲小猫和学生们发脾气，不过身为老师，有时候真的没办法。看漫画书这事其实没什么大不了的，我也很讨厌古板的自己。唉！"

石川老师一边叹气，一边温柔地抚摸着邦彦的脑袋。

"真羡慕小猫啊……我也想做一只猫。"

咦，石川老师竟然和自己想的一样！原来老师也会有这种想法啊。

"不要做猫，你看我，现在都变不回去了。"

可惜，无论邦彦怎么说，老师都听不懂他的话，只是一边轻轻地抚着他的背，一边自顾自地说着话。

邦彦把已经裂成两半的猫护照递给石川老师。

石川老师一脸疑惑地把裂开的照片拼了起来。

"啊？这不是我们班邦彦同学吗？'兹证明本护照持有者为流浪猫'？扑哧，他还做了这么一张卡片，邦彦这孩子可真有意思。"

石川老师不知道自动售卖机的存在，觉得这事可笑也情有可原。之后，石川老师把猫护照翻了过来。

"注意：千万不要把本护照弄脏或使其破损。"

石川老师一边读着注意事项，一边端详着眼含热泪的邦彦。

石川老师的双眼蓦地睁大了，又重新看了一遍手里的猫护照。

"本护照持有者……流浪猫……难道你是邦彦？"

"嗯，是我。"

看着眼前的小猫喵喵叫了几声并点了点头，石川老师惊讶得眼睛都瞪圆了。

"你变成流浪猫之后，这本猫护照被损坏了，所以你变不回人类了，是这个意思吗？"

没错！

石川老师把注意事项又读了一遍。

"详情请咨询火箭商会……但是也没写电话号码，该怎么联系呢……"

呜呜呜　　　　　　　　　　　　呜呜呜

石川老师本来一脸愁容，却很快振奋精神，并冲邦彦笑了笑：

"放心吧，肯定能找到办法。我们一起努力。"

石川老师用胶带把裂开的猫护照粘好，又是搓又是敲，还把它放到耳边，尝试用它打电话。

"喂，您好，请问是火箭商会吗？"

各种办法试了个遍，结果均一无所获。看来猫护照已经彻底坏了。

察觉到邦彦的沮丧情绪后，石川老师坐到教室的风琴前，掀起琴盖。

"开心起来才有可能想出好点子。"说着，石川老师弹起了风琴。

邦彦的耳朵抖了抖，手脚也跟着音乐动了起来。当他伴随着曲子的旋律，喵喵歌唱时——咦？

猫护照上的文字隐隐约约地泛起了金光。

他示意石川老师看向猫护照。石川老师顿时振奋起来，大声唱道：

我变成了一只猫，我变成了一只猫。

我想变成猫，愿望实现了。

但是变不回来了，变不回来了。

怎么办啊怎么办？我也不知道。

"帮帮我吧，火箭商店——"唱完后，石川老师请求道。

"喵呜——"邦彦也跟着一起呼喊。终于，猫护照恢复了金光闪闪的样子。

就在这时，教室外响起了那阵邦彦熟悉的歌声。

噼噼啪啪，噗噜噗噜，嗒啦嗒啦，轰轰轰——

他们打开教室门，暮色笼罩的天空中，自动售卖机闪着一道金光，径直从远处飞来，停在学校上空。

它喷射着橘色火焰，缓缓降了下来。

啵啵咯噼，啾啦啦哩咯，嘚咯嘚咯，嘞嘞嘞——

胖墩墩的自动售卖机在学校的操场上着陆了，那两只眼睛一般的蓝色圆灯倏地一转，看向了教室所在的方向。

"感谢咨询。"自动售卖机说。

他们成功地和自动售卖机联系上了！邦彦和石川老师都非常高兴，急忙跑到操场上。

石川老师向自动售卖机展示了已经裂成两半的猫护照，并说明了事情的经过。

"好的，本店已经了解情况了，下面将回收破损的商品。"

说完，自动售卖机嗖地一下把猫护照吸了进去。

紧接着，自动售卖机的"眼睛"里射出一道绿光，把小猫邦彦严严实实地裹了起来。

过了一会儿，绿光消失了，小猫邦彦变成了小

学生邦彦。

"你总算恢复了，邦彦！"

"太好啦！老师，谢谢您！"

"我终于能听懂你说的话了，真是太好了。"石川老师吸了吸鼻子，一副忍不住要流泪的样子。

邦彦开心得又蹦又跳。

"那么，欢迎你下次光临。能帮你实现愿望的火箭商店即将打烊，三、二——"

"请等一等，我还有愿望想要拜托你。"

邦彦冲着被白烟笼罩的自动售卖机大喊：

"请你飞到像我一样不爱上学的孩子那里去吧。我希望，他们也能重新爱上学校。"

仿佛答应了一般，自动售卖机的蓝眼睛闪烁了一下。

"你的订单本店已受理。三、二、一——打烊！"

轰隆隆！

暮色中，自动售卖机又闪着一道金光远去了。石川老师一边目送它，一边轻轻地拍了拍邦彦的小脑袋。

后来，石川老师不怎么爱发火了，她的性格变得随和了许多。她像晒着太阳的猫咪一样，总是笑眯眯的。

上学变得有趣起来。

邦彦发现，虽然自己不再是小猫了，但依然能够敏锐地分辨出街上弥漫的各种气味，而且他还是很喜欢在街上溜达。

公园里还是老样子。流浪猫们吃着猫奶奶自制的猫粮，幸福地生活着。邦彦微笑着从它们身边经过时，猫老大总会一脸不爽地用鼻子哼一声。流浪猫们对此都十分不解。

以上就是几位小朋友和能帮人实现愿望的自动
售卖机邂逅的故事。

大家觉得怎么样？

有可能就在明天，

在你所在的城市，

能帮人实现愿望的火箭商店会从天而降。

"能帮你实现愿望的火箭商店，感谢你的惠顾。期
待你下次光临！"

139

山口道

本书作者，生于日本兵库县，毕业于东京大学。作品曾获"星新一微型小说文学奖"。文学作品有《如果日本人都变成米粒》《7分钟7个令人毛骨悚然的小故事》《危险药物》（以上三部均由讲谈社出版），以及"野猫苏格拉底"系列（岩崎书店出版）等；词曲作品有《幸运之歌》《远方的天空》（在网上公开发布）。

高井喜和

本书绘者，生于日本大阪府，毕业于大阪艺术大学。设计了代表明治巧克力豆的"彩珠汪汪"和兵库县西宫市的吉祥物"宫探"等众多卡通形象。代表作品有"餐厅怪谈"系列（童心社出版）、"黑熊的故事"系列（公文出版社出版）等。作品曾在2001年、2003年、2006年和2011年的博洛尼亚国际插画展上展出。

可口午餐粉制作方法

原料

- 拉面汤 50 ml
- 星星碎片 4 片
- 薯条 1 根
- 咖喱 1 块
- 汉堡肉 1 口
- 面包屑 少许
- 筷子 1 根

制作方法

① 将咖喱块捣碎。

② 在碗中加入咖喱、汉堡肉、薯条和面包屑，用筷子搅拌均匀。

③ 加入拉面汤。

④ 倒掉拉面汤，加入星星碎片。让混合物充分干燥。

好好吃!

可口午餐粉

完成!!

咖喱风味

南极透心凉可乐

制作方法

原料

冰山碎块 1 块

砂糖 4 大勺

南极海水 5 滴

柠檬 1 个

苏打水
441 ml

极光粉
1 小撮

制作方法

① 将柠檬汁挤出备用。

② 擦一些柠檬皮屑。

③ 将柠檬汁和柠檬皮屑放到碗中，加入南极海水，静置 3 分钟。

④ 在冰山碎块中加入砂糖和极光粉，用搅拌机打碎并混合。

⑤ 将第 3 步和第 4 步制得的混合物加入苏打水中，装瓶，放进冰箱冷藏 6 小时。

完成!!

清凉   冰爽

著作权合同登记号　图字：01-2023-4128

图书在版编目（CIP）数据

体育高手腕带 /（日）山口道著；（日）高井喜和绘；辛悦译. —北京：北京科学技术出版社，2024.1（2024.4 重印）

（愿望售卖机）

ISBN 978-7-5714-3422-9

Ⅰ. ①体…　Ⅱ. ①山…　②高…　③辛…　Ⅲ. ①儿童小说 - 中篇小说 - 日本 - 现代　Ⅳ. ① I313.84

中国国家版本馆 CIP 数据核字（2023）第 225343 号

策划编辑：刘　璐　张心然　尚思婕	电　话：0086-10-66135495（总编室）
责任编辑：郭嘉惠	0086-10-66113227（发行部）
封面设计：包荧莹	网　址：www.bkydw.cn
图文制作：天露霖文化	印　刷：三河市华骏印务包装有限公司
责任印制：吕　越	开　本：880 mm × 1230 mm　1/32
出 版 人：曾庆宇	字　数：55千字
出版发行：北京科学技术出版社	印　张：4.75
社　　址：北京西直门南大街16号	版　次：2024年1月第1版
邮政编码：100035	印　次：2024年4月第2次印刷
ISBN 978-7-5714-3422-9	

定　　价：35.00元